MADRES QUE IMPACTAN

21 Días ORANDO Y CREYENDO
las promesas de Dios para tus
generaciones

D1289204

Brenda Bravatty

MADRES QUE IMPACTAN

Publicado por

Lindley Books, LLC
www.lindleybooks.com

ISBN: 978-1-7353319-4-2

Impreso en los Estados Unidos de América.

ÍNDICE

DEDICATORIA

A mi amada madre Aída de Ríos, quien en medio de su situación de trabajo y viudez, fue para mi un gran ejemplo de vida íntegra, honesta, visionaria y esforzada, llegando a ser un gran testimonio de fe en Cristo.

A mi esposo pastor Enio Bravatty, por su constante motivación, construyendo juntos un hogar que nuestros hijos pudiesen disfrutar. Por ser ese equilibrio que juntos tuvimos en la crianza de nuestros hijos.

A mi mentora pastora Igna de Suárez, he recibido sus sabios consejos por muchos años. He aprendido a ser mejor esposa, madre y mujer de ministerio por sus enseñanzas. A mi mentora de la juventud, Margarita de González, sus sabios consejos desde mi juventud y su desafiante fe en Dios me han bendecido por años. A mi amiga pastora Gicele Lindley, por motivarme a ir a otro nivel y a conquistar nuevos retos. Gracias por impulsarme a escribir este devocional, que estaba en mi corazón desde hace muchos años.

A mis preciosos hijos Dannie y Amy, ha sido un deleite esforzarme para su crianza. Dios ha obrado en forma maravillosa en sus vidas. A mi segunda hija Cecilia, una preciosa adición a nuestra familia, la relación suegra-nuera es un gran deleite con ella.

Dedico este libro devocional a cada madre que en medio de todas sus ocupaciones y retos tienen la hermosa tarea de criar, enseñar y orar por sus hijos.

Este libro está dedicado a todas las madres que como yo, anhelan que sus hijos alcancen victorias y sean bendecidos y prosperados en todo. Para esa madre que está feliz, satisfecha y ve el fruto de su trabajo en casa y anhela que sus hijos permanezcan bendecidos o para aquella madre que se ha cansado y se pregunta que mas puedo hacer para que la vida de mis hijos sea impactada y transformada; me esfuerzo, les compro lo necesario, les preparo su comida favorita, los cuido, pero a veces siento que no puedo mas; acá está la respuesta ¡ORA!

La oración mas importante que tu puedes hacer por tus hijos, es orar por su salvación. Debes pedir que su corazón sea tocado para que reciban a Jesús como Su Salvador y Señor, que tengan la maravillosa experiencia del nuevo nacimiento. Esa es la llave para todas las bendiciones y para desatar las promesas reservadas para tus generaciones.

Es importante continuar orando, hay áreas del corazón, de las emociones, de la mente, del espíritu de nuestros hijos que nosotros no podemos tocar, pero Dios si puede. Este libro devocional te llevará a una hermosa aventura en el lugar secreto, donde tu expondrás ante tu Padre Celestial las necesidades, las situaciones de tus hijos y sobre todo el ardiente deseo y la pasión de tu corazón por que tus generaciones sean bendecidas.

En ese maravilloso tiempo diario de oración en el lugar secreto, descubrirás tesoros de sabiduría y revelación. Tal vez derramarás lagrimas, está bien, el Consolador estará ahí esperándote, pero también puedes orar por cada uno de tus hijos por nombre, creyendo las promesas y lo que Dios hará, nunca ores una oración de derrota, de lamento, de victima, veas lo que veas. Ora creyendo y declarando las promesas de Dios sobre ellos.

Ese tiempo será como un manantial donde Dios te equipará para ser una madre de influencia que impacta y Dios obrará en el corazón de los tuyos en una forma sorprendente y maravillosa.

Bienvenida a esta maravillosa vivencia en el lugar secreto, el lugar de oración por tus generaciones. Es mi deseo que este maravilloso tiempo de 21 días se convierta en un poderoso hábito de morar en el lugar secreto, todos los días de tu vida. ¡La recompensa y las respuestas serán maravillosas!

Brenda

LOS REGALOS QUE DIOS ME DIO

Dios ordena nuestros pasos y nos corona de favores y misericordias. Soy una mujer plena, completa y feliz. Eso no significa que no tenga retos y dificultades, que no haya llorado en noches oscuras, pero El me ha levantado y me ha capacitado para seguir adelante y poner amor y pasión en todo lo que hago, hasta aquí estoy fuerte, llena de fe, victoriosa en Cristo Jesús.

He disfrutado 32 años de casada con el amor de mi vida, mi esposo Enio. Un hombre ejemplar, íntegro, protector, temeroso de Dios. Juntos hemos reído, hemos llorado, hemos construido sueños, hemos pastoreado, edificado con visión y además, hemos formado 2 maravillosos hijos. Sin el liderazgo, el apoyo y la dedicación de Enio, nuestros hijos no hubiesen podido ser formados como lo fueron. Dannie y Amy son el gozo y alegría de nuestra vida. Recordar diferentes etapas de sus vidas y plasmarlas brevemente en este devocional, ha sido un deleite maravilloso. Ver la fidelidad de Dios en cada paso de nuestras vidas y ver como El los ha formado y los ha guardado, me lleva a las rodillas a decir ¡Gracias Señor Jesús, tu lo has hecho todo!

Dannie nuestro hijo, es un vencedor. El superó muchos años de acoso escolar (bullying) e intimidación, para convertirse en un exitoso ingeniero y un hombre de fe, con un corazón misericordioso, capaz de amar y perdonar. Su caminar de integridad, respeto, obediencia, amor a Dios y a la iglesia, le caracteriza. Visionario y apasionado son cualidades que lo definen. Su sentido de honra y apoyo a nosotros sus padres es impresionante. El es líder de músicos y gerente de operaciones de nuestra iglesia. Hoy está felizmente casado con Cecilia, su preciosa esposa idónea, nuestra segunda hija. Dios les ha sorprendido.

Amy nuestra hija, es amorosa y definida. Siempre caminando en estándares altos, honrando a Dios y a nosotros. Dulzura, excelencia, pasión por Dios, adoración y alegría, son cualidades que definen a Amy. Es definida en sus metas y propósitos y el temor no la detiene. Después de finalizar 3 años de Instituto Bíblico, hoy está por obtener su licenciatura en Trabajo Social. Visionaria, con tremenda pasión por Dios y por el Ministerio Mujer Victoriosa. Ella va hacia niveles mas altos. Ella es mi mejor amiga.

Todo ha sido un proceso, todo ha sido una historia de risas y lagrimas, de permanecer tiempos en el lugar secreto de rodillas y aun con el rostro en el suelo, intercediendo por el favor de Dios sobre mis hijos. Tiempos de caminar declarando puertas abiertas, declarando con su Palabra, el favor de Dios sobre ellos. Tiempos de conquistar, de disfrutar, de reír, de llorar, de viajar, de aplaudir, todo se ha combinado en una maravillosa melodía que define lo que es ser madre.

¡A Dios sea la gloria por lo que El ha hecho y lo que hará!

Día 1

TU VIDA EN EL LUGAR SECRETO

"Levántense durante la noche y clamen. Desahoguen el corazón como agua delante del Señor. Levanten a él sus manos en oración y rueguen por sus hijos, porque en cada calle, desfallecen de hambre"

☐ **(Lamentaciones 2:19 NTV)**

Hay un ataque dirigido a la nueva generación, a nuestras generaciones. Hay un ataque de Satanás, similar al que lanzó Faraón contra los niños varones (Exodo1:16) o al que lanzó Herodes contra los niños menores de 2 años (Mateo 2:16), pero en todo ese tiempo se levantaron hombres y mujeres valientes, mujeres como Jocabed, como María, que protegieron y guardaron a sus hijos para cumplir un gran propósito. Hoy te levantarás tu, como una antorcha en lugar oscuro, para clamar por los tuyos y llevarlos a alcanzar su propósito. Dios te estará formando como una madre de oración.

ANA, clamando por su hijo

Ana, la madre de Samuel oró: "Le pedí al SEÑOR que me diera este niño, y él concedió mi petición. Ahora se lo entrego al SEÑOR, y le pertenecerá a él toda su vida". (1 Samuel 1:27). Ana oró por algo imposible, después de pasar años de esterilidad, de sueños frustrados, de burlas, Dios le concedió un hijo. Dios es el Dios de los imposibles, ella oró y Dios le concedió el deseo de su corazón en su hijo. Dios concederá tus sueños, ya sea que tu petición sea un hijo o algo en la vida de tus hijos, El escucha la oración del justo.

AGAR, se levantó por su hijo

Agar la sierva de Sara, había aprendido a oír la voz de Dios en el desierto "A partir de entonces, Agar utilizó otro nombre para referirse al Señor, quien le había hablado. Ella dijo: Tú eres el Dios que me ve" (Génesis 16:13). Otro día, estando sola en el desierto con su hijo, en su desesperación pensó que su hijo Ismael iba a morir. "Pero el muchacho clamó a Dios y Dios oyó la voz del muchacho" (Génesis 21:17). Dios le dice levántate, sostén la mano del muchacho y le mostró a ella una fuente de agua. Tal como le pasó a Agar, en los momentos de crisis Dios estará contigo, verás que el Padre no te ha dejado sola. Con tu ejemplo tus hijos aprenderán a clamar a Dios, Dios cambiará tu visión en el lugar secreto de oración, en vez de desierto verás fuente de agua, verás esperanza, podrás saciar la sed de tus hijos y recibir Sus promesas. Dios cumplió su propósito en el muchacho y lo cumplirá en los tuyos.

LA MUJER SIROFENICIA, perseveró clamando por su hija

Una mujer sin nombre que no era del pueblo de Dios, sin embargo tenia una necesidad y oyó hablar de Jesús. Ella dijo, mi hija es especial, no puede permanecer endemoniada, tengo que hacer algo y lo que puedo hacer es clamar a Jesús por ayuda. "Enseguida una mujer que había oído de él se acercó y cayó a sus pies. Su hijita estaba poseída por un espíritu maligno y ella le suplicó que expulsara al demonio de su hija" (Marcos 7:25). Ella clamó, perseveró, no dudó durante el silencio, soportó criticas, pero al final su fe fue honrada y su hija fue libre.

Oración:

Señor, acá estoy dispuesta, con un corazón que anhela y necesita de Ti, te entrego mi vida y la vida de mis generaciones en tus manos. Se que Tu eres Dios de milagros y me escucharás, veré tu poder actuar durante estos próximos 21 días. Yo y mi casa te serviremos y te honraremos. Gracias Señor.

Ðía 2

SU NACIMIENTO, UN REGALO

"Y Jabes fue más ilustre que sus hermanos, al cual su madre llamó Jabes, diciendo: Por cuanto lo di a luz en dolor. E invocó Jabes al Dios de Israel, diciendo: ¡Oh, si me dieras bendición, y ensancharas mi territorio, y si tu mano estuviera conmigo y me libraras de mal, para que no me dañe! Y le otorgó Dios lo que pidió"

☐ **(1 Crónicas 4:9-10 RV1960)**

Un día en una habitación de hospital…o en una habitación de una casa, escuchaste un grito, un llanto, anunciando el nacimiento de un nuevo milagro, un nuevo ser humano, un niño o una niña, una maravillosa creación de Dios.

Ese día fue maravilloso, tan esperado, un nuevo ser formado por la mano de Dios "herencia de Jehová son los hijos" (Salmo 27:3), que maravilloso recibir ese regalo del cielo por el cual hemos orado. Pero, puede ser que no lo recuerdes así. Según el verso inicial, en la biblia el nombre Jabes significa dolor y aflicción y su madre lo marcó así, como el objeto de su dolor.

Puede ser que el embarazo y el nacimiento de tu hijo te recuerde trauma, tristeza, rechazo, pero hoy Dios quiere sanar tu corazón, Él quiere que hoy le entregues esos sentimientos que marcaron ese momento, para poder bendecir ese día glorioso y para bendecir a cada uno de tus hijos, en el día de su nacimiento. Nació en medio de la crisis, bendícelo. Es el menor de muchos, bendícelo. Fue niña y esperaban niño, bendícela y afírmala en su género.

Tal vez no fue la circunstancia óptima, pero el plan de Dios si fue óptimo, ¡el mejor!, Dios hizo con sus manos a tu hijo a Su imagen y semejanza y te lo ha dado para cuidarlo, moldearlo y formarlo. Tu hijo no es dolor, no es accidente, tu hijo es ilustre (del hebreo kabed, noble, honorable, distinguido). El más despreciado llego a ser el más ilustre y así es Dios, el cambia nuestra historia, el cambia la historia de nuestros hijos, el levanta campeones que salen del dolor y la oscuridad. Tus hijos son bendecidos, su territorio es ensanchado y la mano del Dios todopoderoso estará con ellos siempre.

Para Reflexionar:

- ☐ Trae a memoria como fue el embarazo y el nacimiento de tus hijos
- ☐ Agradece por el día en que tus hijos nacieron y da gracias al Señor por sus vidas
- ☐ Renuncia a todo recuerdo o sentimiento negativo de dolor o tristeza relacionado con su nacimiento
- ☐ Celebra cada año el día que tus hijos nacieron

Oración:

Señor, gracias por mi hijo (a), porque me diste un niño (a), gracias por que su nacimiento estaba en Tu plan, porque Tu le formaste en mi vientre. Bendigo todo su ser, su cuerpo, su alma, su espíritu. Señor, hoy entrego lo que pudo haber en mi corazón durante el embarazo o el nacimiento, toda tristeza, dolor, temor. Te alabo porque formidables y maravillosas son tus obras. Ayúdame a ser un instrumento para bendecirle y cuidarle.

Día 3

SON EXCEPCIONALES!

"En esos días, un hombre y una mujer de la tribu de Leví se casaron. La mujer quedó embarazada y dio a luz un hijo. Al ver que era un niño excepcional, lo escondió durante tres meses."

☐ **(Éxodo 2:1-2 NTV)**

Cuando tu ves a tus hijos hermosos, excepcionales, creados por Dios con un propósito, tu trato hacia ellos, tu cuidado, tu dedicación, tu esfuerzo serán intencionales y definidos. Cuando los hijos son vistos como una persona cualquiera, regulares, sin propósito, causantes de problemas y estorbos, no vamos a dedicar ningún esfuerzo para formarlos y guiarlos.

Jocabed vio a su hijo Moisés excepcional (*hebreo towb:* bueno, espectacular, hermoso). Faraón había decretado que todo niño varón debía morir al nacer, pero debido a que Jocabed vio a su hijo excepcional, ella decidió esconderlo, guardarlo, cuidarlo, para que se cumpliera el maravilloso propósito de Dios en el.

Recuerdo hace años, yo estaba en mi casa orando para que el Señor llevara músicos y salmistas a nuestra iglesia y Dios me habló, y me dijo "tu los tienes en casa, cuídalos y fórmalos"…mis hijos tenían solo 2 y 6 años, pero ya Dios me mostraba su plan. Pensaba hace algunos días que esa palabra de Dios cambió algo dentro de mi, me dio la pasión para ser una madre dedicada e intencional, me ayudó a cuidarlos más y a dedicarme a cultivar su talento con maestros, prácticas y disciplina. ¿Fue fácil? No, ¿Hubo cansancio? Si, ¿Hubo inversión económica? Si, pero todo valía la pena, porque yo los estaba viendo como Dios los veía, excepcionales, escogidos para un propósito y todo esfuerzo valía la pena.

El Rey David tenia una visión grande para su hijo Salomón y oraba de esta manera: "da a mi hijo Salomón un corazón perfecto para que guarde tus mandamientos, tus testimonios y tus estatutos, para que los cumpla todos y edifique el templo, para el cual he provisto" (1 Crónicas 29:19).

Nuestra visión y oración con relación a nuestros hijos debe basarse en como los ve Dios y cual es su propósito. Lo que piense la cultura no es importante, lo que piense la religión no es importante, pero lo que piense Dios de ellos si es importante. Yo me tengo que alinear con el criterio de Dios.

Para Reflexionar:

- [ ] ¿Como ves a tus hijos? Excepcionales o comunes y corrientes

☐ Pide al Señor que te hable y te revele como los ve El

☐ Esfuérzate porque son excepcionales

Oración:

Señor, por favor revélame quienes son mis hijos y como los ves Tu. Las circunstancias me han nublado la visión, pero hoy abro mi corazón y recibo tu revelación, te doy gracias porque son amados, hermosos, especiales. Por favor, úsame para que Tu plan y propósito se cumplan en ellos. Ayúdame a ver más allá de las circunstancias y descubrir el maravilloso potencial que tienen mis generaciones.

Día 4

YO ESTARE AHÍ

"Cuando la madre llegó, la princesa le dijo:— Llévate a este niño a tu casa. Aliméntalo y cuídalo por mí, y yo te lo pagaré. La madre se llevó al niño y lo cuidó"

☐ (**Éxodo 2:9-10 TLA**)

Jocabed, la madre de Moisés se llevó a su hijo a casa, lo amamantó, lo cuidó, lo afirmó, le enseñó la ley de Dios y sembró en El, la identidad de hebreo. La hija de faraón se lo recompensaría y en nuestro caso el Dios todopoderoso nos bendecirá por hacerlo.

Amor se define como tiempo y disponibilidad. El tiempo con ellos no es negociable, debe ser una de las principales prioridades desde sus primeros años. Todavía recuerdo...¿juegos de pelota? ¿practicas de gimnasia? ¿lecciones de música? ¿viajes a la escuela? ¿se necesitaba invertir tiempo? no hay problema ahí estábamos, sola o con mi esposo, estaba presente. En los años de juventud, ¿necesidad de platicar? Estoy disponible. ¿Ir a tomar un café y compartir algo importante para ellos? Estoy disponible. ¿Ir al centro comercial? (aunque yo tenga que dar una conferencia al día siguiente), Estoy disponible.

La razón es porque yo amo lo que ellos aman, soy flexible y estoy disponible. Si fuera necesario yo estudio en la noche, cocino en la noche, pero el tiempo con ellos ha sido demasiado importante y no hay quien me sustituya, el estar ahí y conversar, el estar ahí y reír a mas no poder, el estar ahí y secar las lagrimas de su rostro y abrazarles, no tiene precio. Hace unos años le dije a mi hija, todas las mujeres en el ministerio son importantes, es un gozo compartir con ellas, pero tu eres la mas importante. En cualquier momento estoy disponible, no importa si es media noche, estoy disponible para ti.

Madre, es orando que El te da la sabiduría para hacer cambios, para reorganizar prioridades, muchas veces es difícil expresar, estar presente, cambiar patrones, porque siempre hemos hecho lo mismo.

A este punto tal vez te preguntas, por qué no invertí mas tiempo en ellos, tal vez el trabajo, las ocupaciones, los problemas, las distracciones te lo impidieron, pero este no es un motivo de culpabilidad y derrota, todavía hay tiempo. Si tus hijos ya crecieron, acércate a ellos y con un corazón humilde pídeles perdón y diles perdona mi ausencia, te amo y estoy disponible para ti y si tus hijos están pequeños o aun están en casa, empieza hoy, recuerda amor se define como tiempo y disponibilidad

Para Reflexionar:

- ☐ ¿Necesitas reevaluar tus prioridades?
- ☐ ¿Necesitas hacer un esfuerzo extra para estar ahí y compartir con ellos?
- ☐ ¿Necesitas pedir perdón a alguno de ellos?

Oración

Padre, gracias por mis hijos y por el privilegio hermoso de ser su mamá. Ayúdame a ser sabia, dame la gracia y la sabiduría para caminar con ellos, para invertir ese tiempo que será un tiempo de formación y de impactar su corazón. Permíteme que nuestros corazones puedan acercarse y que el corazón de mis hijos pueda abrirse. Cambia mi corazón, dame discernimiento para cambiar mis prioridades y entender que mis hijos son importantes y merecen mi tiempo y mi esfuerzo.

Día 5

SU CORAZON ES IMPORTANTE

"Él sana a los de corazón quebrantado y les venda las heridas".

☐ **(Salmo 147:3 RV60)**

Un día recibí un precioso consejo, que me ha servido para toda la vida. "Pide al Señor que te muestre que hay en el corazón de tus hijos". Esto era necesario en momentos de reto en sus vidas.

Un consejo tan sabio, en una sociedad donde las ocupaciones, los compromisos, las actividades prevalecen y donde las necesidades profundas, de las que no se habla frecuentemente, pueden pasar desapercibidas. Donde reaccionamos y respondemos a una acción, pero no nos detenemos a preguntarnos las causas de lo que ha sucedido.

Tus hijos pueden ser marcados con heridas y dolor, por palabras, por abuso, por violencia, por injusticias y eso puede quedar guardado en sus corazones y producir serios daños en su vida.

En estos tiempos es donde necesitas el discernimiento, para entender la condición del corazón, para saber como actuar sabiamente. Necesitas ir al trono de la gracia para que los motivos del corazón sean revelados. "El SEÑOR no ve las cosas de la manera en que tú las ves. La gente juzga por las apariencias, pero el SEÑOR mira el corazón". (1 Samuel 16:7)

Muchas de las heridas mas profundas suceden en la niñez, en el hogar y afectan el corazón y el carácter de los hijos. Esto puede producir dureza, dolor o indiferencia. Ellos necesitarán perdonar y sanar. Una de las experiencias mas significativas como madre ha sido el reconocer cuando ofendo a mis hijos y el pedirles perdón, he visto como el corazón de ellos se abre, hay perdón, hay sanidad y ahí es donde el Señor puede ministrar a sus corazones. La falta de perdón por heridas de la niñez produce una muralla en el corazón de los hijos, que les afecta su comunión con el Padre Celestial. Tu puedes ser ese instrumento de perdón, para que sean sanos y libres

Que hay en su corazón? ¿Habrá alegría? ¿Habrá paz? ¿Habrá esperanza? ¿Habrá dolor? Habrá temor? ¿Habrá vergüenza? ¿Que es lo que realmente esta produciendo ese comportamiento en tus hijos?

Solamente la sabiduría que da el Espíritu Santo te hará entender y te revelará lo profundo de su corazón. Solo con la sabiduría y gracia de Dios puedes llegar a esos puntos de confusión, de dolor y pedir sanidad y liberación para ellos. El te guiará a usar las palabras adecuadas, que serán como bálsamo para sanar sus heridas.

Para Reflexionar:

☐   ¿Sabes como está realmente el corazón de tus hijos?

☐   ¿Has pedido al Señor discernimiento para conocer el estado de su corazón?

☐   Busca ser un instrumento de sanidad y restauración

Oración:

Señor, tu conoces lo mas profundo del corazón de mis hijos, áreas que tal vez yo ignoro. Yo te pido hoy que me des discernimiento para entender la condición de su corazón. Señor enséname la verdadera necesidad y equípame para traer la respuesta y el consejo preciso. Señor por favor llena, sana y restaura sus corazones.

Día 6

PROCESO CON PROPÓSITO

"Querido hijo mío, que naciste como respuesta de mis oraciones a Dios, ¿qué consejos podría darte?"

☐ **(Proverbios 31:22 TLA)**

¿Sufres cuando tu hijo sufre? Si tu has llorado por injusticias, por palabras que le han dicho a tus hijos o marcas y señalamientos, yo he caminado por ese camino; yo lloré por mucho tiempo al ver a mi hijo llegar de la escuela, con su corazón destrozado, con su rostro lleno de tristeza por causa del constante acoso escolar (bullying).

Dannie creció siendo un niño lleno de vida, alegre, amoroso, deportista, de voluntad firme y extremadamente activo (hiperactivo). Recuerdo cuando muchas veces llegaba llorando y me decía: "me dijeron que soy un perdedor, me dijeron que jamás iré a la universidad, me dijeron que fuera a clases especiales, se burlan y se ríen de mi, no me quieren en el equipo, me dijeron que fracasaré, que no lograré nada en la vida, que nadie me quiere"...esto continuó por varios años durante la escuela.

El estaba muy herido y dolido. Eran años de decirle "eso es una mentira, tu no eres lo que dicen, tu eres un triunfador, tu irás a la mejor universidad, tu eres excelente, te amamos, tu tendrás una linda familia", eran días de reafirmarlo, pero eran días en que yo pasaba tiempo en el lugar secreto, en la presencia de mi Padre, siendo fortalecida, porque mi amado hijo estaba sufriendo. Dannie me dijo recientemente "cuando me decían algo negativo, tu en casa me decías lo contrario". Todas las palabras de señalamiento, rechazo y desprecio que venían contra Dannie, eran destruidas en oración y eran contrarrestadas con palabras de bendición y de promesas que venían de la Palabra de Dios.

La situación ya no era solo de acoso escolar de los amigos, la situación se había vuelto un señalamiento de parte de los maestros, pues era activo. Había rechazo, castigos injustos y los maestros ignoraban el acoso escolar contra él. Yo me involucré mucho en la escuela. Hubo cambios de escuelas, privadas y públicas. Aun en la iglesia había señalamiento. En las noches mas oscuras, al ver las lagrimas rodar de sus mejillas, orábamos y Jesús nos daba promesas, para esperar lo que El iba a hacer. Eso nos fortalecía. En mi mente están el recuerdo de estar literalmente con el rostro en el suelo pidiendo que Dios hiciera una obra en mi hijo, le bendijera, sanara su alma y le levantara. Y sabía que El me escuchaba. "Pero clamaron a Jehová en su angustia y los libro de sus aflicciones". (Salmo 107:19).

Cuando mi hijo tenía aproximadamente 10 años, Dios me habla por una palabra profética, dada por un ministro "tu hijo te va a honrar, lo veo venir con un maletín y un traje, será un hombre de bien, lo levantaré, será bendecido"...yo caí al piso llorando, ahí entregué todo el dolor y la preocupación y decidí creerle a Dios.

En su amor Dios me llena de paz y reposo para seguir creyendo y confesando las promesas. Dannie va creciendo, conociendo mas de Jesús y su corazón iba siendo sanado, iba perdonando, el amor de Jesús lo estaba llenando y estábamos viendo una luz al final del largo túnel.

Un día, Dannie ya siendo un joven universitario, venia a casa en el tren y de repente reconoce a un joven, era quien le había fastidiado y acosado en la escuela por mucho tiempo, este joven se acerca y le dice "¿Tu eres Dannie? quiero que me perdones por lo malo que fui contigo, yo no puedo estar tranquilo después de todo lo que te hice" y Dannie le dice, esta bien yo ya he perdonado, aprendí a perdonar. Dannie estaba impactado. Dios iba sanando su corazón, lo iba levantando y justificando. Yo veía delante de mis ojos al Dios todopoderoso obrando a su favor.

¿Quien es Dannie hoy? El es un ingeniero en computación graduado de la universidad DePaul, tiene un excelente trabajo en una corporación de Chicago. Es un hijo incomparable, nos ha honrado y cuidado. Es feliz y lleva mas de un año casado con su linda esposa Cecilia, su boda fue un sueño. Es un líder de música, sirve al Señor con pasión y es amado y respetado por muchas personas. Dannie tiene un corazón de amor al prójimo y misericordia, ayuda al que sufre. La promesa del Padre se cumplió, todo ha obrado para bien. "El levanta del polvo al pobre y al menesteroso alza del muladar, para hacerlo sentar con príncipes, príncipes de Su pueblo". (Salmo 113:7-8)

Madre sigue orando, sigue creyendo, Dios esta obrando a favor de los que amas. El los levantará a lugares de honra, a lugares de honor. El peleará su batalla y defenderá su causa. Recuerda que "los que sembraron con lagrimas, con regocijo cegarán" (Salmo 126:5-6)

Para Reflexionar:

- ☐ ¿Hay dolor en el corazón de tus hijos?
- ☐ ¿Has llorado por el dolor de ellos?
- ☐ Espera con fe y con un corazón sano. Sigue orando. Dios hará maravillas

Oración:

Señor, mis generaciones te pertenecen, te entrego cada situación. Sana su dolor, levántalos, fortalécelos. Hoy yo entrego la tristeza, la angustia, te rindo a cada uno de ellos. Tu tienes un plan hermoso y un propósito para mis hijos, los levantarás, los sacarás a victoria, el proceso solo servirá para impulsarlos a otro nivel. Señor, defiéndelos, pelea sus batallas. Yo se que hoy podrá haber llanto, pero a la mañana vendrá la alegría. Gracias Señor por lo que harás.

Día 7

PROTECCION CADA DÍA DE SU VIDA

"Ninguna arma forjada contra ti prosperará, y condenarás toda lengua que se levante contra ti en juicio"

☐ (Isaías 54:17)

Siempre he creído que una madre de rodillas es una herramienta poderosa de Dios. Nuestros hijos, en diferentes momentos de su vida pueden enfrentar situaciones difíciles, estarán fuera de nuestro alcance y no podremos estar siempre con ellos, no debemos sobreprotegerlos y caer en practicas que asfixian, solo porque tenemos temor de lo que les pueda suceder. Es importante encomendarlos diariamente al Dios todopoderoso.

Puede ser que haya un ambiente inhóspito en la calle, en la escuela, con los amigos, en redes sociales, pero hay una promesa maravillosa, que aunque no puedas estar con ellos 24/7, El está con ellos. El ha dicho, "¡Así que sé fuerte y valiente! No tengas miedo ni sientas pánico frente a ellos, porque el Señor tu Dios, él mismo irá delante de ti. No te fallará ni te abandonará". (Deuteronomio 31:6).

Después de que el pueblo de Israel recibió esta palabra, Moisés le dijo a Josué que el entraría con el pueblo a la tierra que Dios les daría. El ambiente puede ser difícil pero Dios está con nosotros y con nuestras generaciones. Dios no quiere que seamos débiles, emocionales, que tengamos un espíritu de victima.

¡Levántate Madre! Tus hijos están en un campo de batalla y como madre necesitas ir constantemente al cuarto de guerra, a ese lugar secreto donde se pelean las verdaderas batallas y donde se ganan las mayores victorias. No podemos quedarnos como observadoras, simplemente esperando que las cosas sucedan, simplemente viendo a nuestros hijos sucumbir ante los ataques de las tinieblas. Cada día ora por ellos, ora con ellos, creyendo que El es su refugio

El interceder por ellos debe convertirse en una practica diaria, confesando la palabra sobre ellos. Hay poder y autoridad cuando declaramos la Palabra del Señor. Ora con la Palabra. Hay batallas que ellos no pueden pelear, que tu no puedes pelear, pero que Dios si puede pelear y los puede defender y guardar. Solo dependiendo del cuidado de Dios sobre los nuestros, podremos vivir una vida con paz.

Para Reflexionar:

- ☐ ¿Oras por tus hijos diariamente?
- ☐ ¿Percibes que hay peligros alrededor y debes orar con autoridad por protección?
- ☐ ¿Estas preparada para la guerra por los que amas?

Oración:

Señor, gracias por mis hijos, te pido que los guardes cada día, que levantes un muro alrededor de ellos. Guarda su salida y su entrada desde ahora y para siempre. Señor hoy te pido que ningún arma del enemigo de palabras, pecado, ideas de error o violencia, prospere contra ellos. Levanta muro, guarda su mente, guarda su corazón. Señor tu eres su roca, su refugio y escondedero. Gracias Señor, porque tu eres Su Padre y tu guardas a mis hijos, ellos te pertenecen.

Día 8

TUS GENERACIONES LE CONOCERÁN

"Y todos tus hijos serán enseñados por Jehová; y se multiplicará la paz de tus hijos"

☐ (Isaías 54:13 RV60)

En algún momento de su vida, tus hijos van a ser expuestos a la crisis, a la dificultad, a problemas pequeños o grandes donde su fe va a ser retada, donde la situación parecerá imposible, donde la respuesta únicamente puede venir del Señor todopoderoso. Es en esos tiempos donde ellos pueden conocer a Su Dios, no solo al Dios de sus padres.

Recuerdo hace años, mi hijo estaba usando un par de zapatos tenis nuevos y ese día ayudó a pintar y se mancharon sus zapatos. El vino a mi esposo y a mi a decirnos, necesito zapatos nuevos. Y en ese momento no teníamos el dinero, le dijimos que esperara unos días y que podía orar, pidiéndole al Señor que proveyera para esos zapatos que quería. A la semana siguiente venia tan feliz y emocionado, había recibido un cupón de regalo para obtener un par de zapatos marca New Balance, era su marca favorita.

Mi hija experimentó algo, ella tenía una beca completa ofrecida en una universidad, pero no la aceptó, pues en ese tiempo tomó la decisión de ir al instituto bíblico por 3 años y aparentemente perdió la oportunidad, sin embargo al terminar el instituto bíblico ella regresó a otra universidad, oró por el favor de Dios y Dios le respondió, siendo aceptada en una universidad mejor que la primera, con una beca completa. Páginas faltarían para compartir la manifestación de Dios y las respuestas que ellos han visto.

Invita a tus hijos a participar en la oración, cuando tengan una necesidad por pequeña que sea, motívales a que oren. Planifica frecuentemente reuniones familiares donde tus hijos puedan exponer sus necesidades o si ellos prefieren, hazlo en lo privado con cada uno, enséñales a clamar, a orar por la situación esperando una respuesta. Ellos se regocijarán cuando sus peticiones sean respondidas. "Clama a mi y yo te responderé y te enseñaré cosas grandes y difíciles que tu no conoces" (Jeremías 33:3). Cuéntale a tus hijos lo que Dios ha hecho en tu vida a través de la oración y por qué confías en El.

Tus hijos irán conociendo mas el carácter de Dios, del Padre proveedor, consolador, restaurador y cada día verán mayores respuestas. A través de la oración, conocerán a Dios en otra dimensión.

Para Reflexionar:

☐ ¿Estas modelando una vida de oración para tus hijos?

☐ Se intencional, invita a tus hijos a orar y a poner sus peticiones delante de Dios

☐ Celebra con ellos cada victoria, dándole gloria al Señor

Oración:

Señor, gracias porque Tu oído esta atento a la oración del justo. Ayúdame a ser constante en la oración, a buscarte, amarte, anhelarte y tener constantemente comunión contigo. Gracias porque mis hijos serán ensenados por Ti. Señor revélate a ellos, que ellos te conozcan como su Dios, su Salvador, su Proveedor, su Sanador, El Dios que abre puertas y los sorprende. Padre habla a sus corazones, transforma sus mentes, llénalos de tu Espíritu Santo, que ellos tengan experiencias contigo en el Lugar Secreto.

Día 9

CREE, TU HIJA VIVE

"Y tomando la mano de la niña, le dijo: Talita cumi; que traducido es: Niña, a ti te digo, levántate."

☐ **(Marcos 5:41 RV60)**

La niña de nuestra historia estaba agonizando y el padre llamado Jairo, vino a Jesús a pedirle que fuera a poner las manos sobre ella para sanarla. Pasado un tiempo y varias interrupciones, vino alguien a Jairo con un mensaje negativo "Tu hija ha muerto, para que molestas mas al maestro" (Marcos 5:35). Palabras como estas quieren llegar y destruir nuestra fe, llegan como un golpe mortal a nuestro corazón, pero Jesús al oír estas palabras le dijo "no temas, cree solamente". El original griego de la palabra creer (pisteou) es llegar al punto de una confianza y dependencia completa. Confiar plenamente aunque la noticia dijera lo contrario, El Señor invitó a Jairo a confiar en El plenamente.

Mamá, no creas a las voces que te dicen ya no hay esperanza, todo esta perdido, ya es demasiado tarde, tus hijos no se levantarán, la adicción, la depresión, la dureza es demasiado profunda. Yo te digo, El tiene poder para restaurar, transformar y dar vida "Y les daré un corazón y un espíritu nuevo pondré dentro de ellos; y quitaré el corazón de piedra de en medio de su carne y les daré un corazón de carne" (Ezequiel 11:19). Recuerda, El quiere que confíes plenamente.

Jesús tomo la mano de la niña, el original griego de tomó (kateo) significa asir sin soltar. Lo único que se necesita es que Jesús tome la mano de nuestros hijos, en el lugar y la condición en que se encuentran. No necesitamos tanta gente, tantas personas que lamenten, tantas personas que critiquen, lo único que necesitamos es que Jesús tome la mano de nuestros hijos, no los suelte y les diga "Talita Cumi" ¡Levántate!

Al iniciar este capitulo vino a mi mente la historia de un joven llamado Javier, en su niñez conoció a Jesús, pero en su juventud se apartó, llegó a ser pandillero, adicto, andaba en pecado, en maldad, dañando a otros y dañando su propia vida, pero siempre había una madre que de rodillas oraba por su hijo, día y noche y un día Dios lo tocó, vino arrepentimiento y transformación y ese hijo se levantó, ¡hoy es un ministro de Dios en Chicago!

Para Reflexionar:

- ☐ Cree y confiesa lo que Dios hará en tus hijos
- ☐ Clama día y noche al Señor para que los tome de la mano y no los suelte, algo sucederá
- ☐ Por fe, debes verlos de pie, levantados, restaurados, libres, ¡en victoria!

Oración:

Señor, gracias porque la vida de mis hijos te pertenece. Tu tienes para ellos pensamientos de bien y no de mal. Te pido que los tomes de la mano, llénalos de vida, aviva su espíritu. Una acción tuya bastará para levantarlos. Hoy vengo contra toda obra del enemigo, toda obra de tinieblas, toda cadena que los ha atado, toda mentira que haya llegado a sus mentes o a sus corazones. Señor mis hijos te amarán y te servirán. "Mírame, y ten misericordia de mí; da tu poder a tu siervo, y guarda al hijo de tu sierva." (Salmo 86:16).

Día 10

UN LEGADO DE BENDICIÓN

"Y este será mi pacto con ellos, dijo Jehová: El Espíritu mío que está sobre ti, y mis palabras que puse en tu boca, no faltarán de tu boca, ni de la boca de tus hijos, ni de la boca de los hijos de tus hijos, dijo Jehová, desde ahora y para siempre"

☐ **(Isaías 59:21).**

Cualquiera puede dejar una herencia, la herencia es algo material que le dejamos a nuestros seres amados y esta se desvanece al utilizarse, pero el legado es algo que tú dejas y se mantiene aun después de que mueres. Billy Graham pronunció las siguientes palabras: "El legado mas grande que alguien puede pasar a sus hijos y nietos no es dinero o cosas acumuladas, sino un legado de carácter y fe"

Tu legado será fundamentado en un ejemplo de vida; en una vida de servicio, pasión y entrega al Señor Jesucristo. Ora para que ese legado pase a tus generaciones, para que El Espíritu y la Palabra que Dios puso en ti, pase a tus generaciones.

Yo tengo una historia generacional, mi madre Aída entregó su vida a Jesucristo en su vida adulta, en medio de la crisis de la viudez. Dios la transforma en mujer de fe, valiente, esforzada, apasionada por servir a Dios. Yo recibo ese legado, Dios me lleva a otro nivel, amando a Jesucristo, llamada al pastorado junto a mi esposo, predicando su palabra. Y luego el legado crece y pasa a mi hija Amy, ella es apasionada por Jesús, es pastora asociada, líder de adoración, predica la Palabra, es líder de jóvenes, dirige misiones; esta bendición gloriosa crecerá y seguirá por mil generaciones. Dios es fiel y solo se necesita alguien que le rinda su vida a Jesús y deje que El le transforme para formar un legado.

Es necesario construir un legado, tomando decisiones firmes para dejar el pasado. La vida de una mujer llamada Rut es un gran ejemplo, siendo originaria de Moab, una tierra de maldición, ella se atrevió a dejar su tierra, dejar la maldición, dejar el dolor de la viudez, dejar la escasez al no tener herencia y decidió ir a Belén (la casa del Pan) y refugiarse en el Dios verdadero. Su historia cambió, ella llegó a ser esposa de Booz, madre de Obed, quien fue el abuelo del gran rey David y parte de la genealogía de Jesucristo. (Rut 4:11-17). Sus generaciones heredaron bendición.

Hay promesas para nuestras generaciones, cuando honramos y servimos al Señor. Hoy ora para que un legado glorioso de amor a Dios, valores de fe, carácter cristiano y pasión por servirle, pasen a tus generaciones. El lo hará.

Para Reflexionar:

- ☐ ¿Que anhelas para tus generaciones?
- ☐ ¿Hay cambios que necesitas hacer para construir un legado de carácter y fe?
- ☐ Cree que tus generaciones llegaran a niveles mayores

Oración:

Gracias Señor por haberme alcanzado, por ser mi Señor y Salvador. Hoy me determino para construir un legado de bendición para mis generaciones. Señor que ellos te honren y te sirvan aún mas. Levanta un legado de carácter y fe, de servicio y ministerio. Abre mayores puertas de bendición delante de ellos. Declaro que este legado de tu Espíritu y tu Palabra alcanzará hasta mil generaciones.

Día 11

ROMPIENDO MALDICIONES

"porque yo soy Jehová tu Dios, fuerte, celoso, que visito la maldad de los padres sobre los hijos hasta la tercera y cuarta generación de los que me aborrecen, y hago misericordia a millares, a los que me aman y guardan mis mandamientos"

☐ (**Éxodo 20:5-6 RV60**)

¿Hay en tu familia patrones de maldad que se están repitiendo generacionalmente? ¿Pecados repetitivos, vicios, fracasos, maldad, tragedias, enfermedades?

Es tiempo de clamar y de pararte firme en fe creyendo que toda maldición es cortada. Es tiempo de refugiarnos en el sacrificio de Cristo. Cristo se hizo maldición, para que nosotros ya no llevemos maldición, El nos sustituyó. "Cristo nos redimió de la maldición de la ley, hecho por nosotros maldición, (porque está escrito: Maldito cualquiera que es colgado en un madero)" Gálatas 3:13

Veamos una historia de la escritura, Jacob un hombre que estaba bajo pacto de Dios. Dios se había pronunciado como el Dios de Abraham, de Isaac y de Jacob (Éxodo 3:6). El tenia

12 hijos y entre ellos uno que amaba entrañablemente, su nombre era José.

Un día llegó la mentira del enemigo y le dijeron que una bestia salvaje había despedazado a José, pero recuerda era mentira, pues José estaba vivo. Pero Jacob se declaró en derrota y dijo "mi hijo ha muerto, una mala bestia lo devoró, me iré a la tumba llorando a mi hijo".(Génesis 37:33,35) Ahora, José era heredero de bendición, por el pacto que Dios había hecho con su padre, su abuelo y su bisabuelo. Pero Jacob, había creído a la mentira, pero ¡José vivía!

Un momento amada, es tiempo de creer a Dios, nuestras generaciones son bendecidas, ninguna mala bestia (demonio) los devorará o los destruirá. Las maldiciones generacionales son reales, pero con la autoridad que Dios nos da, en el nombre de Jesús, quedan canceladas. No creas a la mentira cuando vienen pensamientos que te dicen, van a morir, van a fracasar, sus sueños serán destruidos. Hoy, levántate a creer y declarar que tienen vida, tienen victoria, la maldición ha sido cortada. Tu vivirás con paz y bendecirás a tus generaciones, así como Jacob se regocijo con José y bendijo a los hijos de José (Génesis 49:8-9). Lo que Dios ha bendecido no puede ser maldito (Números 23:8).

Para Reflexionar:

- ☐ ¿Estás detectando patrones dañinos que se están repitiendo generacionalmente?
- ☐ ¿Están tus generaciones en pacto con Jesús?

☐ Toma autoridad y rompe esas maldiciones en el nombre de Jesús

Oración:

Señor, gracias por ser nuestro Señor y nuestro Salvador. Gracias porque toda maldición y todo decreto que había contra nosotros fue clavado en la cruz. Yo te pido perdón por pecados de mis antepasados, yo renuncio a la maldición heredada, confieso que tu llevaste la maldición en la cruz y que mis generaciones y yo somos herederos de bendición. Hoy tomo autoridad contra toda maldición y toda obra del enemigo. Gracias porque tus bendiciones nos seguirán y nos alcanzarán, tu eres Dios fiel y nos has bendecido.

Día 12

QUE SEAN FIRMES EN SU FE

"Sin embargo, Daniel estaba decidido a no contaminarse con la comida y el vino dados por el rey"

☐ **(Daniel 1:7 NTV)**

Hoy en día nuestros hijos están expuestos a un ambiente contrario a la fe, a una cultura de libertinaje. Los valores morales quieren ser destruidos y los valores bíblicos son atacados. Al estar en una cultura contraria, en la escuela, con los amigos, ¿Cómo reaccionaran? ¿Qué sucederá en su mente y en su corazón? ¿Cómo lograr que sean firmes en su fe? "Porque todo lo que hay en el mundo, los deseos de la carne, los deseos de los ojos y la vanagloria de la vida, no proviene del Padre, sino del mundo" (1 Juan 2:16)

Daniel fue un joven hebreo, que conocía a Dios. Era sabio, integro, prudente y fue llevado de Jerusalén cautivo a Babilonia, al palacio del rey, un lugar de vicios y placeres. Y ahí Daniel tomó una decisión, el propuso en su corazón no contaminarse y así agradar a Dios. ¿Fue fácil? No, porque en vez de comer la comida del rey, comían legumbres. Pero dice la biblia que Dios le dio a el y a sus amigos, sabiduría, entendimiento y discernimiento. Ellos dijeron no al pecado, no a lo carnal y Dios los llenó de sabiduría y los honró en el reino medo persa.

Ahora ¿cuál fue el secreto de Daniel?, ¿alguien lo estaba controlando o vigilando? No, el simplemente tenia temor a Dios, amaba a Dios y lo reverenciaba, sabia que lo tenia que agradar en todo momento y cuando decía no al pecado, lo hacia con gozo. "El temor a Dios es el principio de la sabiduría" (Proverbios 1:7)

Madre, es muy importante orar para que nuestros hijos tengan una relación personal con Jesús, de ahí vendrá el amor a Dios, la reverencia a Dios y el temor a Dios. Enséñales con amor, desde pequeños, los principios de la Palabra de Dios. Si los instruyes en su camino, nunca se apartaran. Orando para que ellos tengan raíces profundas en el amor de Dios, eso les dará firmeza, fortaleza y vivirán honrando a Dios en todo momento.

Para Reflexionar:

- ☐ ¿Tienen tus hijos una relación personal con Jesús? Es Jesús su Salvador?
- ☐ ¿No son reglas religiosas, es temor de Dios genuino
- ☐ Clama para que el Espíritu Santo obre en ellos obediencia y reverencia a Dios

Oración:

Señor, te pido que te hagas real en la vida de mis hijos. Señor que tu reines en sus corazones, que estén entregados y rendidos a ti y que ellos sepan que a donde ellos vayan, tu estás presente. Señor que mis hijos puedan ser un testimonio tuyo, guárdalos del engaño del pecado, que no se rindan a la presión del grupo, que se mantengan firmes y fuertes en la fe en Cristo Jesús.

Día 13

NO HAY LÍMITES PARA SOÑAR

"Una noche José tuvo un sueño y cuando se lo contó a sus hermanos, lo odiaron más que nunca"

☐ **(Génesis 37:5 NTV)**

Tus hijos tienen sueños, desde que son muy pequeños, "quiero ser un médico, quiero ser un piloto aviador, quiero ser el dueño de una compañía..." pero muchas veces puedes matar sus sueños con palabras como "imposible, eso no se puede hacer, ahí no podrás ir, tu no tienes la capacidad, nadie lo ha logrado, no tenemos el dinero, hay otros mas calificados", nunca te burles, esas palabras o acciones matan los sueños y cortan la visión que tienen para lograr algo nuevo, algo diferente, que posiblemente Dios les quiere dar. El sueño de José fue recibido con odio, envidia y burla por sus hermanos.

Pídele al Señor visión, hoy es tu oportunidad de apoyar y aplaudir los sueños de tus hijos, aunque parezcan enormes y difíciles de llevarse a cabo, debes escuchar, afirmar y luego ir a Dios a poner el sueño en oración, delante de El. El es quien confirma, obra, provee, abre puertas, mueve las circunstancias. Entrégalos a Dios para que Sus sueños se cumplan en ellos.

Mi madre fue una mujer visionaria y determinada. Ella apoyaba y aplaudía nuestros sueños y anhelos. Quedó viuda, vivíamos en Guatemala y yo era la única hija mujer. Un día recibí la oferta de una beca para estudiar en Canadá y ella fue la primera que me dijo "hija es tu oportunidad, ve con paz, si es tu anhelo, hazlo, has soñado con estudiar", yo viajé, he vivido fuera de mi país de origen a partir de ese tiempo y siempre pienso que la causa que muchas cosas hermosas sucedieran, es porque ella me apoyo para soñar y alcanzar. Mi sueño, en la voluntad de Dios, era lo mas importante para ella.

Ella pudo discernir que El Padre Celestial me estaba abriendo puertas. En medio de la crisis de la viudez, tal vez no había todo lo material, pero había visión para soñar. ˝Y a Aquel que es poderoso para hacer todas las cosas mucho más abundantemente de lo que pedimos o entendemos," (Efesios 3:20). Lleva los sueño delante de la presencia del Señor.

Para Reflexionar:

- ☐ ¿Sabes cuales son los sueños de tus hijos?
- ☐ Lleva los sueños ante el Señor y si El confirma, celébralo por fe
- ☐ Nunca mates los sueños con palabras de incredulidad o burla

Oración:

Señor gracias porque tu eres el Dios de las sorpresas y las oportunidades, tu nos invitas a soñar y a creer. Señor mira los sueños de mis hijos, confirma tu voluntad en ellos. Yo te creo. Te pido que ellos escuchen tu voz, que reciban confirmación. Señor yo creo que tu eres poderoso y para ti no hay límites, confirma tu propósito y aumenta mi fe.

Día 14

SIGUE CLAMANDO

"¿Y acaso Dios no hará justicia a sus escogidos, que claman a él día y noche? ¿Se tardará en responderles?"

☐ **(Lucas 18:7)**

Hace unos días escuché a una madre decir, "me siento triste pues he orado mucho y no ha sucedido en mi hijo, lo que pedí al Señor".

Hoy te digo, no te desalientes, no te desanimes, has orado y tal vez lo que ves es que tus hijos toman decisiones equivocadas. Tal vez estas viendo que no están en el nivel que has deseado, recuerda que la obra es de Dios, no es tuya. Tu papel es llevar la petición al trono de la gracia y ser canal de bendición, instrumento de ejemplo, de inspiración y dejar que El haga la obra. Mientras oras por tus hijos, tu corazón esta siendo transformado.

El versículo inicial se refiere a la historia de la viuda que clamaba al juez injusto, ella clamaba por justicia día y noche y el juez era tan duro, no temía a Dios y no le ponía atención; pero un día el juez se cansó, se aburrió y dijo estas palabras "sin embargo, porque esta viuda me es molesta, le haré justicia, no sea que viniendo de continuo, me agote la paciencia" (Lucas 18:5). Ella por su perseverancia y persistencia obtuvo respuesta de un hombre duro sin temor a Dios y Dios usa esta analogía para decirnos ¿y acaso Dios no hará justicia a sus escogidos, que claman a él día y noche?

La Biblia nos habla de una mujer, la mujer sirofenicia (Mateo 15:21-28). Ella vino a Jesús clamando, pues su hija estaba endemoniada. Ella ignoró prejuicios, ignoró el tiempo de silencio de Jesús, ignoró la respuesta que todavía no era su tiempo, ignoró la murmuración de los discípulos, ella dijo, yo acá permanezco hasta que me lleve mi milagro. Jesús al final le dijo "Oh mujer grande es tu fe, hágase contigo como quieras"

Hoy necesitas ser perseverante en la oración. Perseverar es ser consistente, insistir, persistir, no dejar. Es seguir clamando hasta oír la voz de Dios y la respuesta. Pase lo que pase, anhela Su bendición, pase lo que pase sigue clamando por tus generaciones hasta ver a Dios obrar. Ve constantemente a tu lugar secreto de oración, pues el Padre que oye en lo secreto, de cierto te recompensará en publico. Cree que verás la bondad de Dios en la tierra de los vivientes.

Para Reflexionar:

- ☐ ¿Te has desanimado porque todavía no has visto la respuesta?
- ☐ ¿Necesitas que tu fe sea renovada? Recuerda las promesas

☐   Persevera, sigue clamando al Dios de poder

Oración:

Padre, gracias por escuchar el clamor por mis generaciones. Hoy decido seguir creyendo, seguir confiando, seguir esperando. Tu eres Dios de milagros, yo veré la bondad de Jehová en ellos. Gracias porque tienes promesas de bien y no de mal. Aumenta mi fe cada día, para seguir creyendo lo que has dicho. Dame fortaleza para perseverar y pararme firme. Veré tu misericordia.

Día 15

POR SU FUTURO CÓNYUGE

"Jura por el SEÑOR, Dios del cielo y de la tierra, que no dejarás que mi hijo se case con una de esas mujeres cananeas. En cambio, vuelve a mi tierra natal, donde están mis parientes, y encuentra allí una esposa para mi hijo Isaac."

☐ **(Génesis 24:3-4 NTV)**

Abraham envió a su mejor siervo a buscar esposa para Isaac, de dentro de su mismo pueblo. Una de las decisiones mas importantes en la vida de tus hijos es ¿con quién se casarán? ¿Quien será su futuro cónyuge?

Es importante empezar a orar por el futuro cónyuge, aun desde que tus hijos son muy pequeños. Así como tu oras y bendices a tus hijos, es importante orar por la persona que estará con ellos el resto de su vida. Un buen esposo es un regalo de Dios, una buena esposa es un regalo de Dios. "El que haya esposa haya el bien y alcanza la benevolencia de Jehová" (Proverbios 18:22). Un mal matrimonio puede arruinar el resto de la vida de tus hijos "Mejor vivir solo en un rincón de la azotea que en una casa preciosa con una esposa que busca pleitos" (Proverbios 25:24)

Puedes pedir esa bendición y clamar al Padre Celestial por esa persona, que sea la persona que Dios traiga, en su voluntad perfecta. Dile al Señor, escoge tu a la persona ideal para mi hijo, para mi hija, para ese matrimonio y el hogar que tu tienes. El te mostrará por que cualidades orar, que complementen a cada uno de tus hijos.

Una de las experiencia mas hermosas ha sido el haber orado por la esposa de mi hijo desde que era niño. Y Dios nos sorprendió con la llegada de mi segunda hija (mi nuera) Cecilia. Cecilia es el complemento perfecto para Dannie, cuando yo los veo pienso que solo El Señor en su sabiduría y propósito los pudo haber unido y hecho el uno para el otro. ¡Dios es fiel!

Ora con tus hijos, por su futuro cónyuge. ¿Aun no ha llegado? ¡Llegará! En la oración convenida hay victoria, Dios sorprende como solo El lo sabe hacer. Al ver lo que Dios hará, te vas a regocijar.

Para Reflexionar:

- ☐ ¿Ya estás orando por los futuros cónyuges de tus hijos?
- ☐ Tu oración puede impactar su destino y su futuro hogar
- ☐ Pide sabiduría y discernimiento, ¿por qué cualidades orar?

Oración:

Señor hoy clamo y creo por un buen matrimonio para mis hijos, yo se que todo lo que es bueno y perfecto viene a nosotros de parte de Ti. Hoy te agradezco por ese esposo, por esa esposa que traerás para mi hijo (a), en tu plan perfecto. Padre escoge tu en Tu perfecta voluntad. Tu determinas el tiempo y el momento. Tu los sorprenderás, gracias Señor.

Día 16

POR SU HOGAR

"Cualquiera, pues, que me oye estas palabras, y las hace, le compararé a un hombre prudente, que edificó su casa sobre la roca"

☐ **(Mateo 7:24)**

Tal vez tus hijos ya han crecido y ahora tienen su propio hogar. Puede ser que vivan lejos o que vivan cerca de ti. ¿Como puedes influenciarles? Ya no puedes verles todos los días, prepararles su comida favorita, ver lo que hacen tus nietos cada día, pero ¡Puedes orar por ellos!

Dios es un Dios de detalles, es tiempo de levantar oración para protección de su familia, su casa, sus finanzas, su salud, sus oportunidades de trabajo y estudio, orar por paz, por un derramamiento del amor y la presencia de Dios en su casa. Diariamente intercede, su casa será firme pues estará construida bajo promesas, con cimientos de la Palabra y cubierta con oración.

Ora que Dios les de sabiduría, tu puedes proveer un consejo cuando lo soliciten, pero no puedes intervenir para cambiar las circunstancias, pero si puedes clamar al Señor para que El intervenga y los dirija "si Jehová no edifica la casa, en vano trabajan los edificadores" (Salmo 127:1). Ora también por tus nietos (aun si no han nacido), bendice tus generaciones.

Hoy en día hay una guerra contra las familias y los matrimonios, Satanás esta obstinado en destruir familias, por medio de infidelidad, rechazo, inmoralidad sexual, violencia, abuso, división, etc., es por ello que el clamor por el hogar de los nuestros es vital en este tiempo de crisis. Los hogares de tus hijos no serán destruidos por el pecado y la maldad. Su casa será edificada en la roca que es Cristo.

Ora para que en cada hogar se encienda un altar de oración y adoración, para que las familias de tus hijos puedan orar y refugiarse en Cristo en cualquier necesidad. Es solo alrededor del Cordero, como lo hacia el pueblo de Israel, que las familias serán protegidas de los peligros presentes. Recuerda que es Dios quien edificará el hogar de nuestros hijos.

Se la madre que intercede, que va al trono de la gracia en medio de cualquier necesidad y recibe dirección y sabiduría de Dios.

Para Reflexionar:

- [ ] ¿Deseas ser de bendición para el hogar de tus hijos?
- [ ] ¿Estás viendo necesidad y situaciones que necesitan resolverse?
- [ ] -Te preguntas, ¿qué puedo yo hacer? Ora al Dios de poder

Oración:

Señor, gracias porque tu eres Dios de mis generaciones. Hoy bendigo el hogar de mis hijos, bendigo a cada uno por nombre. Protégelos, guarda su casa. Por favor llénalos de tu presencia, de tu amor, hoy vengo contra todo ataque del enemigo que quiera debilitarles, poner división o apartarles de Ti. Llénalos de tu amor, yo bendigo a sus hijos en este día, tienen un legado de bendición.

Día 17

QUE SEAN PUROS

"Y todos los que tienen esta gran expectativa se mantendrán puros, así como él es puro."

☐ **(1 Juan 3:3 NTV)**

Esta escritura se refiere a la expectativa de la venida del Señor, mientras mas nos acercamos al tiempo de su venida (¡y esta muy cerca!), debe haber una mayor determinación para ser puros. La palabra griega original de puro (hagnos), significa limpio de pecado e inmoralidad, tener conducta reverente.

Hoy en día nuestros hijos están diariamente asediados por el pecado y la inmoralidad. En la cultura actual se esta tratando de destruir su inocencia. La enseñanza liberal en las escuelas, medios de comunicación, redes sociales, están afectando su pureza. Heridas y dolores también afectan la pureza de su corazón.

¿Que puedes hacer para sembrar la pureza en tus hijos? Además de cuidarles, ensenarles la Palabra, mostrándoles la diferencia entre lo que es bueno y lo que no es, supervisarles, estar cerca de ellos, es muy importante que ores por ellos, que Dios obre y guarde sus mentes y sus corazones. Orando que el Espíritu Santo les fortalezca y que puedan tener la mente de Cristo "Por lo tanto, permitir que la naturaleza pecaminosa les controle la mente lleva a la muerte. Pero permitir que el Espíritu les controle la mente lleva a la vida y a la paz" (Romanos 8:6).

No tenemos lucha humana solamente, estamos en un tiempo de guerra espiritual y como madres no debemos ignorar las estrategias del diablo sobre los nuestros, que querrán robarles la verdad y los valores que les hemos enseñado. (2 Corintios 2:11). Se una madre intencional, cuida los tesoros que Dios te ha dado, hoy mas que nunca supervisa lo que llega a la mente y al corazón de tus hijos, supervisa lo que llega por la tecnología, redes sociales, medios de comunicación. Dios te dará estrategias y sabiduría en que hacer, para que tus hijos sean guardados.

Ora para que sean protegidos del pensamiento postmodernista de la cultura, que su fe no falte, que la palabra more en abundancia en sus mentes y sus corazones. Que voluntariamente ellos puedan rechazar lo impuro, lo inmoral, lo pecaminoso y que cada día la luz de Cristo esté en sus vidas y sus corazones.

Para Reflexionar:

- [ ] ¿Están tus hijos siendo influenciados por la cultura actual?
- [ ] ¿Conocen ellos los principios y verdades de la Palabra de Dios?

☐ Toma tiempo para ensenarles lo que dice la Palabra

☐ Ora con ellos

Oración

Señor gracias porque la mente de mis hijos esta siendo renovada y transformada por Ti. Por favor límpialos de toda contaminación, de todo ataque a sus mentes con ideas, con formas de pensar mundanas y pecaminosas. Apártalos de personas que los quieren contaminar. Ayúdame a ser intencional para protegerles mientras tu obras en su mente y su corazón a través del poder del Espíritu Santo. Por favor restaura la Inocencia en sus corazones.

Ðía 18

ESPIRITU DE SABIDURIA Y DISCERNIMIENTO

"Da, pues, a tu siervo corazón entendido para juzgar a tu pueblo, y para discernir entre lo bueno y lo malo"

☐ **(1 Reyes 3:9 RV60)**

¡Cuánto engaño, cuánta mentira! en todo el ambiente que nos rodea. ¿Cómo pueden saber tus hijos la diferencia entre lo que es verdad y lo que parece verdad? Como pueden saber la diferencia entre el amor verdadero y lo que se dice ser amor. En el versículo inicial, Salomón estaba pidiendo discernimiento para gobernar, lo necesitaba.

Hoy en día es importante que tus generaciones tengan sus sentidos ejercitados para el discernimiento entre el bien y el mal. "pero el alimento sólido es para los que han alcanzado madurez, para los que por el uso tienen los sentidos ejercitados en el discernimiento del bien y del mal" (Hebreos 5:14). Es a través del conocimiento de la palabra y la guíanza del Espíritu que tendrán sentidos maduros para distinguir y decir esto no esta bien, esto no es correcto. El discernimiento es un conocimiento sobrenatural que Dios da y que es necesario para el día de hoy.

Tus hijos necesitan discernimiento en la escuela, en las platicas con los amigos, al observar normas de vida diferentes, al recibir instrucciones y enseñanzas en la escuela, el escuchar los medios de comunicación o navegar en las redes sociales, el discernimiento les permitirá escoger por la verdad y rechazar todo lo que es mentira y oscuridad, que muchas veces se disfraza sutilmente.

Recuerdo un día que estábamos en una tienda de ropa en Chicago y mi hija Amy, siendo adolescente, me dijo, mami acá hay algo, se siente algo feo en esta tienda. Y a los pocos minutos llega una persona y nos da una tarjeta promocionando que ella practicaba adivinación y leía las cartas. Era la presencia satánica de brujería la que ella estaba percibiendo y discerniendo.

Clamemos por discernimiento y sabiduría para los nuestros. En las situaciones de confusión es cuando el discernimiento debe ser ejercitado, cuando Dios les revela la verdad, ellos la perciben, entonces no van a ser confundidos. Ora para que en los momentos de presión de grupo, cuando todos hacen lo mismo, cuando pueden tratar de convencerlos, que ellos tengan discernimiento y se paren firmes en la verdad. Que sepan que las verdades que han aprendido y tienen en su corazón, no son negociables.

Para Reflexionar:

- ☐ ¿Están tus hijos confundidos en alguna situación?
- ☐ ¿Necesitan saber que es lo bueno, cuando todo parece igual?
- ☐ ¿Están siendo expuestos a mentiras?

Oración:

Señor, llena a mis hijos con un espíritu de sabiduría y discernimiento. Que sean sensibles a la voz de tu Espíritu Santo, que amen tu Palabra y sean maduros y sabios. Que puedan discernir cuando la fuente de poder no es el Dios verdadero. Yo vengo contra el espíritu de engaño y mentira que quiere confundirlos, no tiene poder sobre ellos. Guíalos a Tu verdad.

Día 19

SUS AMIGOS

"No erréis; las malas conversaciones corrompen las buenas costumbres"

☐ **(1 Corintios 15:33)**

Los hijos crecen, van a la escuela, se independizan y cada año que pasa reciben mas interacción con amigos, mas influencia de amigos.

Debemos orar para que Dios le de a nuestros hijos amigos verdaderos, leales, sanos en su alma, temerosos de Dios. ¡Cuidado! un mal amigo puede provocar grandes heridas y dolor. "Hay quienes parecen amigos, pero se destruyen unos a otros; el amigo verdadero se mantiene más leal que un hermano" (Proverbios 18:24).

La influencia de los amigos es muy grande, especialmente en los años de la juventud y las malas conversaciones, las platicas perversas, los malos hábitos, pueden corromper las buenas costumbres de nuestros hijos. Hay amistades codependientes que les quieren robar la paz y la bendición. ¡Debes orar!

Como madre de niños o jóvenes de secundaria, debes esforzarte por conocer a los amigos de tus hijos, observarlos, no los ataques con crítica, sino en una forma sabia platica con tus hijos acerca de sus amigos y aconséjales. Si hay señales peligrosas, esfuérzate por cuidarlos mas y empieza una guerra de oración.

Pide al Señor discernimiento para que te muestre que está sucediendo con esa amistad, tal vez haya influencia para alejarse de Dios, ocultismo, confusión de géneros o adicciones, si esto esta sucediendo, toma autoridad y clama al Dios que todo lo puede, al Dios que puede librar a tus hijos del lazo del cazador. (Salmo 91:3).

Puede ser que tus hijos ya hayan crecido, tal vez viven solos en la universidad o en algún lugar fuera del hogar. Sigue orando con todas tus fuerzas por protección, que los malos amigos que los quieran confundir o influenciar al mal, se alejen. Ora que el Ángel de Jehová acampe alrededor de los tuyos y los defienda. Por medio de la oración se rompe uniones que son nocivas y que el enemigo usa para debilitar a nuestros hijos. En muchas ocasiones vi como después de orar, Dios apartaba de mis hijos amistades que no les convenían.

Para reflexionar:

- ☐ Se intencional para conocer a los amigos de tus hijos
- ☐ Pide al Señor discernimiento y aconséjales con amor

☐   Ora con autoridad para que el Señor aleje amigos que están afectando la vida de tus hijos

Oración:

Señor, rodea a mis hijos de amigos conforme a tu corazón. Dales amigos leales, sanos, que los puedan edificar. Permite que mis hijos tengan corazón perdonador para pasar por alto las ofensas. Aleja amigos que van a traer influencia de maldad, de pecado, amigos que los van a alejar de tu propósito. Dales a mis hijos discernimiento para escoger buenos amigos.

Día 20

CONSAGRACIÓN

"Después de cada fiesta, Job llamaba a sus hijos y celebraba una ceremonia para pedirle a Dios que les perdonara cualquier pecado que pudieran haber cometido. Se levantaba muy temprano y le presentaba a Dios una ofrenda por cada uno de sus hijos."

☐ **(Job 1:5 TLA)**

Job diariamente oraba por cada uno de sus hijos. Que hermosa la constante preocupación de este padre de familia para que sus hijos alcanzaran misericordia de Dios. Hoy día necesitamos ser padres involucrados, clamar por nuestros hijos para que alcancen el favor y la misericordia del Señor. Cada día ir de rodillas delante del Señor y pedirle por sus decisiones, sus retos y que sean fuertes en medio de las tentaciones. Debemos tener discernimiento y cancelar toda trampa del enemigo puesta para atrapar a nuestros hijos en pecado y maldad.

Tus generaciones serán consagradas al Señor. Consagrado quiere decir apartado. Apartados para conocerle, honrarle y servirle. Ora que estén fortalecidos y cimentados en la palabra de verdad. "Os he escrito a vosotros, jóvenes, porque sois fuertes y la palabra de Dios permanece en vosotros y habéis vencido al maligno" (1 Juan 2:14)

Tus hijos y tus generaciones son especiales, no son como cualquier otro. "Mas vosotros sois linaje escogido, real sacerdocio, nación santa, pueblo adquirido por Dios, para que anunciéis las virtudes de aquel que os llamó de las tinieblas a su luz admirable" (1 Pedro 2:9). Cuando sabes que tus hijos tienen un propósito en Dios, te esforzarás por ser ejemplo para ellos y guiarlos para que agraden a Dios en todas las circunstancias de su vida.

Ora diariamente para que toda idea satánica que los quiere atraer al pecado sea destruida en el nombre de Jesús. Cancelando ideas de maldad, rebelión y desobediencia. Declarando que son hijos de Dios y que le pertenecen únicamente a El.

Para Reflexionar:

☐ Se un testimonio de vida para tus hijos
☐ Cuida que la palabra de Dios y el Espíritu Santo moren en ellos abundantemente
☐ Cuídalos y ora diariamente para que sean fuertes y firmes en la fe

Oración:

Señor, gracias por la vida de mis hijos, gracias porque tu los has escogido, mis generaciones te servirán y te honrarán. Yo te pido que tu Espíritu Santo more en abundancia en ellos y los selle como propiedad tuya. Que ellos no amen al mundo, ellos te pertenecen. Destruye todo plan del enemigo para confundirlos y engañarlos con el pecado, guárdalos en tu verdad. Que voluntariamente se puedan apartar del pecado y la maldad y puedan decidir no contaminarse. Gracias Señor.

Día 21

LLENOS DEL ESPIRITU SANTO

"Entonces después de hacer todas esas cosas, derramaré mi Espíritu sobre toda la gente. Sus hijos e hijas profetizarán. Sus ancianos tendrán sueños, y sus jóvenes tendrán visiones"

☐ **(Joel 2:28 NTV)**

Al concluir este devocional, te invito a continuar clamando diariamente por tus hijos. Estamos viviendo tiempos difíciles, tiempos de crisis, pero estamos anhelando y esperando un gran avivamiento. Viene un avivamiento donde la gloria de la casa postrera será mayor que la primera. ¿Quienes serán usados? La nueva generación, aquellos que tienen la fuerza, la pasión, la visión y la comunión con el Espíritu Santo, ellos serán usados en ese tiempo glorioso.

Hoy clama para que tus hijos y tus generaciones sean usados para la gloria del Señor. Que ellos sean llenos del Espíritu Santo, que reciban el bautismo del poder y caminen bajo la unción. Que tengan dones, sueños, visiones y revelaciones. Que puedan hablar palabra de vida, profetizar de parte de Dios a una generación que se pierde sin esperanza.

Ana, la madre de Samuel fue una mujer que pidió a su hijo para un ministerio en su nación. Ella le dijo a Dios, en forma valiente y definida "Oh Señor de los Ejércitos Celestiales, si miras mi dolor y contestas mi oración y me das un hijo, entonces te lo devolveré. Él será tuyo durante toda su vida, y como señal de que fue dedicado al Señor, nunca se le cortará el cabello" (1 Samuel 1:11). Que oración mas maravillosa, un hijo para que sea tu siervo, un hijo que haga tu voluntad, un hijo que te será dado completamente a Ti para Tu gloria y Tu servicio.

Hoy yo te invito a hacer una oración desafiante por tus generaciones. Dile a Dios, "Señor, si has de usar a alguien, usa a mis hijos, llénalos, úngelos, equípalos para tu servicio, que sean llenos del poder del Espíritu Santo". No te conformes con menos, ora que la gloria de Dios se manifieste en tus generaciones.

Para Reflexionar:

- [ ] ¿Cual es la visión de Dios para tus hijos?
- [ ] ¿Cual es tu visión para tus hijos?
- [ ] Anhela que sean usados grandemente por El Señor

Oración:

Señor gracias por los hijos que me has dado, ellos son como saeta en mano del valiente. Llénalos de ti, llénalos de tu Espíritu Santo, capacítalos para ser usados para tu gloria en tiempos de avivamiento. Abunda los dones de tu Espíritu Santo sobre ellos. Hazlos un testimonio vivo para esta generación, que ellos puedan dar vida y esperanza a través de tu Palabra y el poder del Espíritu Santo. Gracias Señor, porque tu lo harás. Mis generaciones te honrarán y te servirán, serán una generación de impacto, de ejemplo, de testimonio, de Palabra y de Poder. Te alabo Señor y te doy gracias.

ALGO MAS

Después de esta maravillosa jornada para ser una Madre que Impacta con oración y fe, tu vida no será igual. En estos días hemos tocado el cielo con nuestro clamor, de rodillas hemos peleado batallas por nuestras generaciones, nos hemos refugiado en Su amor y hemos confesado promesas para nuestros hijos.

Después de estos 21 días, no podremos ser las mismas. Ya no podremos ser madres pasivas o madres que solo observan y no actúan. Nuestros hijos son especiales, excepcionales, ellos son como saetas en manos del valiente (Salmo 127:4). Son como flechas escogidas en manos de un guerrero, con un gran propósito especifico y definido. Por ello, nos esforzaremos para guiarles a Jesús, cuidarles y enseñarles.

Además, tenemos el gran privilegio de orar por ellos. Recuerda que cuando tu no sabes que hacer, no puedes, no tienes los recursos, Dios si puede, El es El Shaddai, Dios Todopoderoso. Sigue clamando, sigue orando diariamente por tus generaciones como lo hacia Job. Verás la gloria de Dios, verás a Dios obrando en sus vidas en forma sobrenatural, tu y tus generaciones verán promesas cumplidas.

Dios te bendiga

DE SU ESPOSO

Uno de los cuidados que mi esposa Brenda siempre tuvo en la crianza de nuestros hijos fue la atención delicada, personal, de calidad para ayudarles cuando cada uno de ellos tenia alguna necesidad por cosas que sucedían en casa, en la escuela, en la iglesia u otro lugar. Nuestro hijos Dannie y Amy cuando regresaban a casa y mi esposa los notaba preocupados por alguna situación que habían pasado, ella ya sabia que algo sucedía y se acercaba a ellos para platicar y de una manera tranquila, controlada, lograba discernir lo que estaba pasando en el corazón de ellos y con el discernimiento y el amor que Dios le ha dado, les aconsejaba, los abrazaba, los guiaba en oración, eso traía descanso a su corazón y luego volvían a sus rutinas en la casa. Ella era como una centinela cuidando el corazón de nuestros hijos.

En los 32 años de matrimonio, Brenda ha sabido balancear de una manera excelente todas sus tareas especialmente como esposa, como madre y como sierva de Dios. Su habilidad para cumplir con todos sus compromisos no fuera posible si no tuviera la ayuda de su Padre Celestial, ya que ella es una amante del lugar secreto, de la comunión con Dios y en sus oraciones diarias coloca cada una de sus actividades en las manos del que impulsa su vida, en las manos de Dios.

Se que este libro devocional será de gran bendición en la vida de muchas madres y será una herramienta útil para todas aquellas que anhelan ver a sus hijos bendecidos en los caminos de Dios, para que a su vez ellos vayan e impacten a sus generaciones.

Pastor Enio Bravatty

Made in United States
Orlando, FL
17 June 2022

18894959R00043